¿Has leído **todos** los libros de **BABYMOUSE**?

#1   BABYMOUSE, reina del universo
#2   BABYMOUSE, ¡eres la mejor!
#3   BABYMOUSE, rompecorazones
#4   BABYMOUSE, estrella de rock

Título original: Babymouse. Heartbreaker

Publicado por acuerdo con Random House Children's Books,
una división de Random House, Inc., NY

Publicado originalmente por Random House Children's Books en 2006
Publicado por acuerdo con Hill Grinberg Literary Management LLC
y Sandra Bruna Agencia Literaria, S.L.

© Random House, Inc., NY 2006
© Jennifer Holm and Matthew Holm, 2006
© de la traducción, Miguel Ángel Mendo, 2008
© de esta edición, RBA Libros, S.A., 2008
Pérez Galdós, 36 08012 Barcelona
www.rbalibros.com / rba-libros@rba.es

Primera edición: septiembre 2008

Compaginación: Editor Service. S.L.

Ref: OAFI280
ISBN: 9788498672497
Depósito legal:
Impreso por

BABYMOUSE

ROMPECORAZONES

JENNIFER L. HOLM y MATTHEW HOLM

SerreS

...DE AMOR.
–BABYMOUSE, BABYMOUSE, ¿DÓNDE TE HALLAS, MI HERMOSA BABYMOUSE?

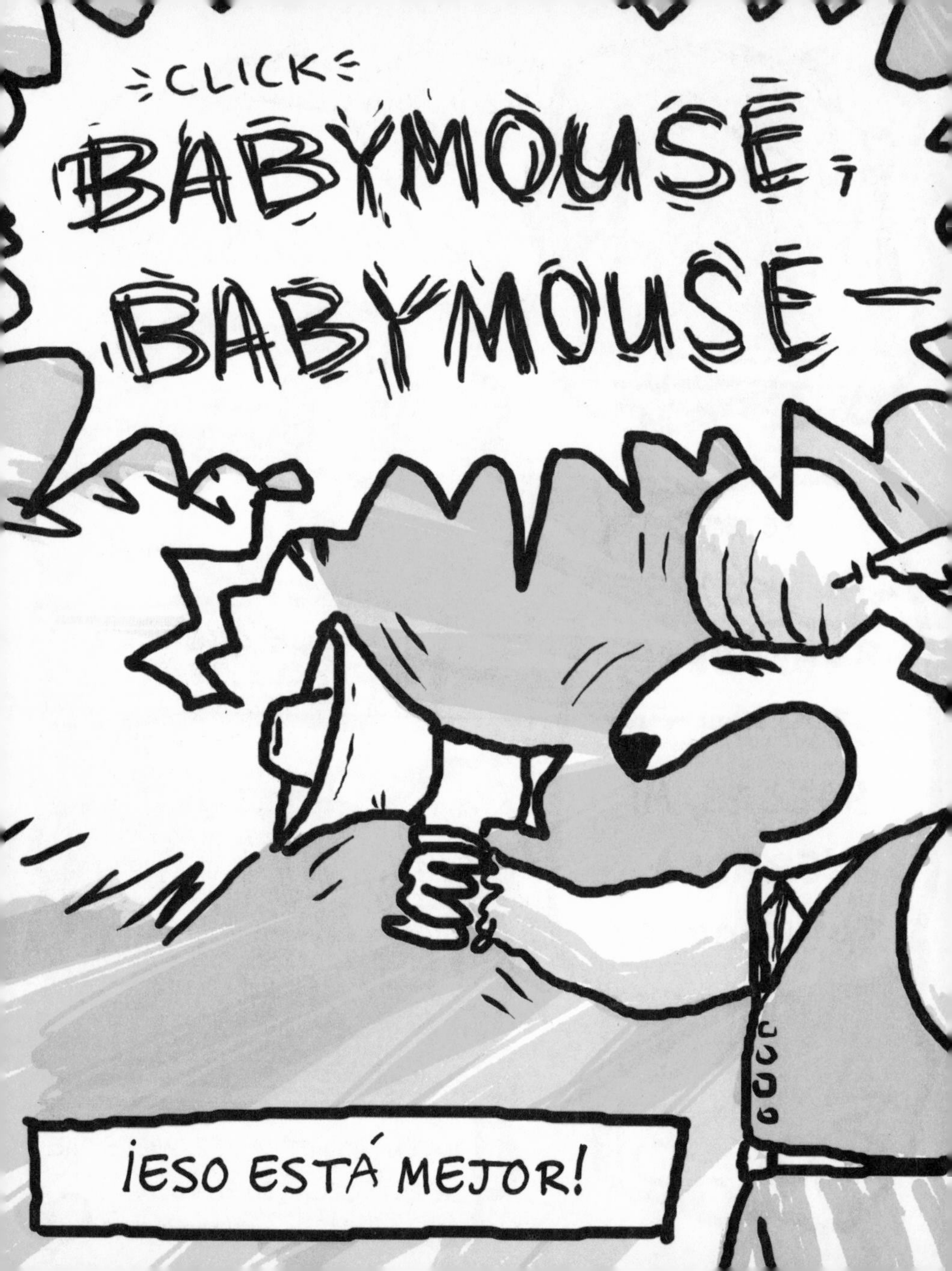
CLICK
BABYMOUSE, BABYMOUSE—
¡ESO ESTÁ MEJOR!

25

ESPERA UN MOMENTO. ¿NO HUBO YA UNA FANTASÍA SOBRE CENICIENTA EN EL PRIMER LIBRO?

-BUENO, SÍ, PERO NI SIQUIERA LLEGAMOS AL BAILE.

¡DONG!

¡DONG!

-¡OH, NO! ¡TENGO QUE IRME!

¡DONG!

¡DONG!

DESPUÉS DEL COLE.

CONFIÓ EN QUE EL CHICO AQUEL QUE SIEMPRE LA ATOSIGABA SE LO PEDIRÍA.

¡BUM!

–¡UF! ¡QUIERO DECIR, HOLA!

O TAL VEZ AQUEL CHICO TAN LISTO QUE SIEMPRE LE SOLTABA UN ROLLO.

–ME PARECE FASCINANTE QUE LA RAÍZ CUADRADA SEA IGUAL A BLA BLA BLA Y NEWTON DIJO QUE BLA BLA...

–¡ESO ES TAN... HUMM... INTERESANTE!

O TAL VEZ AQUEL CHICO QUE SIEMPRE ESTABA JUGANDO CON LA MAQUINITA.

–¿SABES? A MÍ NO ME GUSTAN MUCHO LOS VIDEOJUEGOS, ME GUSTA... O MÁS... ES M... ONA... TAN...

43

-¿Y DICES QUE TE ENGAÑÓ UNA RANA PARA QUE LA BESARAS, Y QUE LUEGO SE CONVIRTIÓ EN UNA SERPIENTE Y LUEGO EN UN CARACOL Y LUEGO EN UNA ARAÑA, Y QUE ERA UNA ARAÑA ENCANTADA, Y QUE POR ESO LLEGAS TARDE A CLASE?
-NI SIQUIERA SÉ POR QUÉ ME MOLESTO EN EXPLICARLO.

* No lo entiendo, capitán... ¡Estaba miran[do]
algo en la Tierra y de repente se desmayó!

61

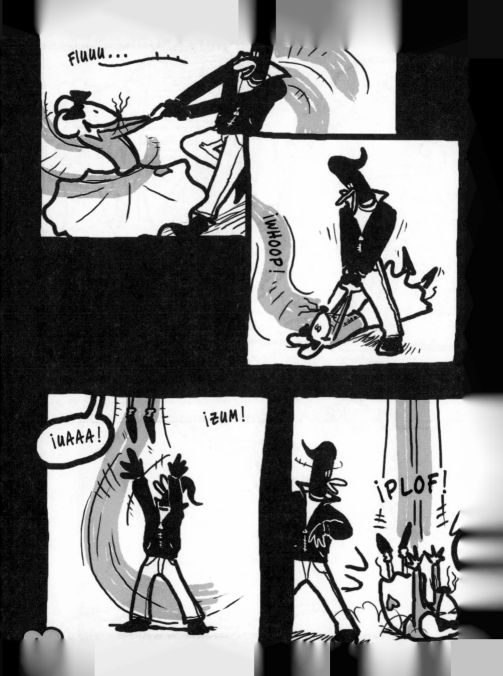

EL RELOJ SEGUÍA AVANZANDO.

TIC
TAC

EL AGENTE SECRETO 003 ½ CONOCÍA LA IMPORTANCIA DE SU MISIÓN...

...Y DE ENCONTRAR SU OBJETIVO.

- ¡YO SÉ ENCONTRAR MI OBJETIVO!

NO HABÍA TIEMPO QUE PERDER...

OH, CARIÑO.

76